Comptines
qui chatouillent

François David

Illustrations
d'Émilie Chollat

D1245391

Si j'étais un tendre baiser
Je me poserais sur ton nez
Et puis tout doucement sur ta joue
Ce serait si doux doux doux doux doux
Si j'étais un tendre baiser.

Si j'étais de mauvaise humeur
Tout renfrogné à faire peur
Je ferais de drôles de grimaces
En me regardant dans la glace
Pour retrouver ma bonne humeur.

Si j'étais un petit grain de riz
Parmi des centaines de grains de riz
Je chanterais : « Coucou je suis là !
Essaye de me trouver dans le plat ! »
Si j'étais un petit grain de riz.

Je n'aimerais pas être un terrible requin
J'aimerais mieux être un gentil dauphin
Je n'aimerais pas être un rhinocéros
Mais plutôt un bel albatros
Qui serait le copain d'un dauphin.

7

Pour aller au paradis
Ce que c'est difficile dis
Avec tous ces sens interdits
Quel casse-tête de trouver la route
Pour aller au paradis.

Si j'étais un morceau de soleil
Qui illumine et émerveille
Je n'aurais jamais froid aux pieds
À n'importe quel moment de l'année
Si j'étais un morceau de soleil.

Quand les poules auront des dents
Quand les poissons auront des jambes
Les chiens auront de grandes ailes
Les rats joueront à la marelle
Quand les tigres n'auront plus de dents.

Si j'étais de la mousse au chocolat
J'aimerais m'en mettre jusque-là
Je me mangerais au dessert
Avec une immense cuillère
Si j'étais de la mousse au chocolat.

J'aimerais avoir une moustache
Énorme et couleur vert pistache
J'aimerais être grand comme la tour Eiffel
Mais très mince telle une ficelle
Qui porterait une grosse moustache.

13

Pour trouver la sortie
C'est facile mon petit
Tu prends à gauche et puis tout droit
Puis à droite, puis à gauche deux fois
Et toc ! tu tombes sur la sortie.

Je n'aimerais pas être de la confiture
Qui coule comme de la peinture
Et qui vous poisse les doigts, pouah !
Et vous tache partout, ah, là là !
Quel bonheur de ne pas être
de la confiture.

Quand j'aurai cent mille ans
J'aurai des milliers d'enfants
Et des petits-enfants par millions
Dont je ne connaîtrai pas les prénoms
Quand j'aurai cent mille ans.

Joseph ?

Alice ?

Marguerite ?

Théophile ?

Jeanne ?

Luc ?

Colin ?

Martin ?

Emma ?

Louise ?

Lucie ?

17

J'aimerais n'avoir pas que dix doigts
J'en voudrais au moins quarante-trois
J'aimerais n'avoir pas que deux jambes
Mais cent pour venir vite dans ta chambre
Te chatouiller de tous mes doigts.

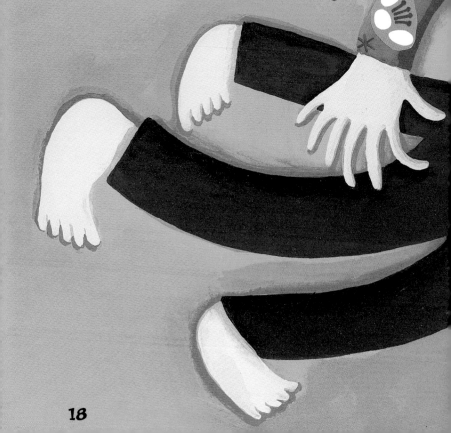

Quand j'irai voir les ouistitis
Qui sont des singes petits petits
J'emporterai des cacahuètes
Qu'ils me mangeront sur la tête
Quand j'irai voir les ouistitis.

Quand je serai grand
Je serai professeur de chant
J'apprendrai à chanter aux lions
En les accompagnant au violon
Je serai un grand professeur de chant.

Pour l'amour de ma bien-aimée
Je ferais des exploits insensés
Je renverserais des montagnes
Je mettrais le désert à la campagne
Pour l'amour de mon adorée.

23